à Anne

Garde toi toujour un
peu de temp pour jouer?

M Bosqui 97

Marcel Gagnon

LE P'TIT PRINCE
de Sainte-Flavie

**Éditions
du Grand Rassemblement**

Croissance
7 à 97 ans

Réalisation de la page couverture : Marcel Gagnon

Composition et mise en page : Louise Gagnon
Impression : Imprimerie du Golfe inc.

Tous droits réservés : Éditions du Grand Rassemblement
564, route de la Mer
Sainte-Flavie (Québec)
G0J 2L0
Tél. : (418) 775-2829

ISBN : 2-9803476-8-X
Dépôt légal : premier trimestre 1996

Bibliothèque nationale du Québec
Bibliothèque nationale du Canada

PRÉFACE

Aujourd'hui, le 9 janvier 1995, je tourne en rond, je ne tiens plus en place. Personnellement, ma décision est prise. Je veux partir en vacances pour la Floride en motorisé, mais il me reste à convaincre, coûte que coûte, Ghislaine, mon épouse. Nous avions bien dit que, cet hiver, nous resterions tranquilles chez nous et à notre cabane à sucre. Ghislaine était très contente de cette décision, puisqu'elle pouvait enfin réaliser son projet de suivre des cours à l'université.

Malgré qu'elle s'était déjà inscrite, je sais que, dans son for intérieur, elle aimerait, elle aussi, faire un voyage au soleil. Le soir même, alors que nous étions couchés, je me suis vu sortant de la cour avec le motorisé. J'ai raconté ma vision à Ghislaine et, à ma plus grande surprise, instantanément, elle m'a dit : « tape ma main ! Quand est-ce qu'on part ? » Sur-le-champ, nous avons décidé d'une date, soit le vendredi, 13 janvier.

Entre-temps, Ghislaine m'avoua n'avoir jamais lu *Le Petit prince de Saint-Exupéry*. Je lui dis que j'avais acheté ce livre il y a un an environ et que, avant cette date, je n'en connaissais que le nom.

En fouillant dans notre bibliothèque, j'ai retrouvé ce petit livre enfoui sous plusieurs gros volumes de notre ami André Moreau. J'ai donc décidé de l'apporter en voyage avec plusieurs autres, naturellement. En route vers la Floride, je l'ai sorti pour que Ghislaine nous en fasse la lecture tout en

roulant. Le soir venu, en faisant une méditation, l'idée me vint de créer mon propre
petit prince. Le P'tit prince de Sainte-Flavie, dédié principalement à notre petit-fils
Nicolas, âgé de deux ans et à tous les autres
petits-fils et petites-filles à venir de nos
quatre beaux grands enfants.

CHAPITRE PREMIER

LE RETROUVER OÙ ?

Je crois bien que nous avons tous à l'intérieur de nous notre petit prince mais, actuellement, où se cache-t-il exactement ?

J'ai pensé que le meilleur endroit pour le retrouver, c'était sûrement de chercher dans mon enfance... Trouver une trace, une piste pour écrire, parce qu'il m'apparaît impossible d'écrire un livre sans avoir au moins un petit fil conducteur, tout petit... et une tonne d'abandon, comme j'aime à le dire, quand il s'agit de créativité et d'intuition.

Pour pouvoir saisir ce fil conducteur, quoi de mieux que de laisser surgir des images, celles qui me viennent le plus souvent de mon enfance. Je me vois assis dans une balançoire en train de me *balanciner* (comme on disait chez nous) à côté du garage, à La Rédemption. Voilà pour la piste, la trace. En ce qui concerne le deuxième élément pour créer, c'est-à-dire la tonne d'abandon, je me suis fait aider par mon amie la méditation. Elle me suggère d'ouvrir mes antennes et mes canaux récepteurs, sans oublier de me faire confiance à 100 % et de me mettre en état de recevoir.

Comme je disais plus tôt, nous avons tous un petit prince qui sommeille en nous. Pour l'écrivain, ce sont les mots qui partiront à sa recherche, qui suivront sa trace pour finalement le découvrir, caché sous une épaisse couche de contraintes, de « il ne faut pas faire ça », de manigances d'adultes pour engloutir l'enfant en nous. Ce petit livre est une expérience où je découvrirai, en même

temps que vous, mon petit prince à moi. Ce qu'il me dira, je ne le sais pas encore. J'ai hâte, autant que vous j'imagine, de le découvrir.

CHAPITRE 2

RÊVE OU RÉALITÉ

J'ai environ six ou sept ans, je ne pourrais le dire plus exactement en ce moment. Je suis assis dans ma balançoire, près du garage, dans la ferme familiale. Mes soeurs jouent aux alentours et un ou deux petits amis sont là, tout près. Mais moi, je ne suis pas tellement là, je suis ailleurs, je vois les êtres qui m'entourent et les choses comme dans la brume. J'ai une drôle de sensation, comme si je voulais perdre connaissance. Je résiste, j'ai peur de cet état et, à chaque fois que cela survient, je panique et j'ouvre les yeux très grands pour sortir de cet envoûtement.

Ce vertige me donne l'impression de vouloir partir pour un grand voyage étrange, et l'inconnu me terrifie. Ce manège recommence chaque fois que je me balance sur cette grande balançoire faite de deux grosses chaînes un peu rouillées, accrochées à une pièce de bois solidement clouée au garage. Une large planche, retenue de part et d'autres par les chaînes, sert de siège. Mes pieds ne touchent plus le sol, creusé par les bottes des plus grands qui viennent nous prendre, plus souvent qu'à leur tour, cette seule balançoire du bout du rang.

Je suis assis, perdu dans mes pensées, je regarde le ciel en me donnant des poussées de plus en plus fortes, en repliant et en étirant successivement mes jambes pour prendre de l'altitude et de la vitesse. Mes bras sont raides et mes mains sont crispées sur ces longs serpentins. Chaque fois que

tout mon corps participe à cet effort de propulsion, l'air se raréfie dans mes poumons et l'effet de ces envolées intensifie mon état d'inconscience. En regardant le ciel, le goût de partir m'envahit de plus en plus; le goût de m'envoler pour aller visiter l'univers.

Devenu adulte, je ne me souvenais plus très bien de ce qui s'était passé cette journée-là. Mais, aujourd'hui, en me laissant aller pour écrire, je me doute bien qu'il a dû se produire quelque chose d'intense. Je le sens, je le sais, mais... j'ai dû vouloir l'oublier. Quand on est un enfant et qu'il nous arrive des choses que les grandes personnes désapprouvent, on s'arrange pour les oublier et, comme ça, on n'a pas besoin de mentir; on ne ment pas quand on a oublié ! Comment raconter une telle histoire, personne ne m'aurait cru... d'ailleurs ce monde des balançoires est un monde d'enfants et non un monde d'adultes.

CHAPITRE 3

À LA RECHERCHE DE L'UNIVERS

Ah oui ! Je me rappelle maintenant ! Je me balançais de toutes mes forces et je n'entendais plus rien, pas même mon père qui se trouvait là. J'étais perdu dans le ciel, la tête penchée en arrière. Je voulais m'envoler, c'est sûr ! Et tout à coup, plus rien... seulement une grande lumière, comme sur une autoroute largement éclairée. Je me déplaçais à une vitesse démesurée et, subitement, le calme : comme si je flottais. Oui ! Je flottais, mais sans être dans les airs comme j'aurais dû l'être. Il me semblait bien avoir décollé vers le ciel, mais, à ma plus grande surprise, je me suis retrouvé dans l'eau, sous l'eau. À ce moment-là, j'ai éprouvé une impression très spéciale, très forte; j'étais tout drôle. Il me semblait que je possédais plus de pouvoir. Cependant, j'étais toujours un petit garçon. En fait, c'était moi et en même temps ce n'était plus moi. Je sais maintenant que j'avais six ans et non sept. Six ans et j'avais le sentiment étrange de faire partie, à la fois, du présent, du passé et de l'avenir.

J'étais habillé de rouge, une écharpe blanche nouée autour de mon cou et, pour couronner le tout, un magnifique chapeau, parsemé d'étoiles et de pierres précieuses, recouvrait ma tête. Plus le temps passait, plus je pensais être devenu un autre. Je perdais tout contact avec ce petit garçon. Je n'étais plus lui, c'est vrai, mais, bizarrement, je l'entendais penser et je le voyais agir. Il pouvait marcher librement, je l'observais, il flottait, mais l'eau n'était pas très

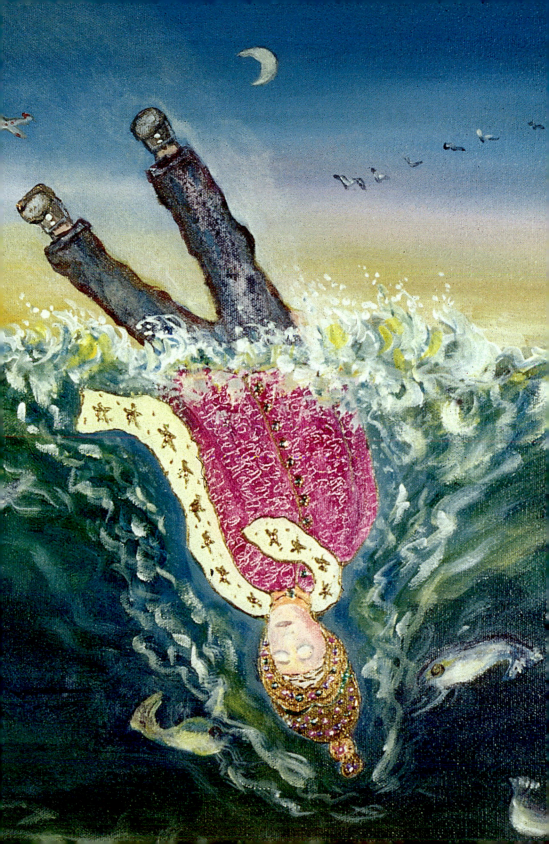

propre. Elle était même plutôt embrouillée.

C'était étonnant, très curieusement, quand le petit garçon se plissait les yeux, l'eau devenait miraculeusement plus claire. J'avais l'impression de voir par ses yeux, de sentir ce qu'il sentait, mais ce n'était pas moi qui vivais tout ça, c'était lui. Il était tellement occupé à se laisser porter dans cet univers transparent ! Il se laissait flotter et il marchait aussi bien sur les mains que sur les pieds. Il était fou et libre comme un poisson dans l'eau, mais ce n'était pas un poisson puisqu'il était vêtu comme un p'tit prince, avec ses beaux habits tout secs, même sous l'eau.

Après quelques minutes d'escapade, le P'tit prince se demanda ce qu'il lui arrivait véritablement, lui qui pensait se retrouver dans le ciel et visiter l'univers. Des questions surgissaient, songeur, il se gratta la tête en se demandant si c'était bien cela l'univers.

CHAPITRE 4

UNE MISSION ?

Assis sur une grosse roche toute vibrante de mille couleurs, le P'tit prince prit quelques minutes pour réfléchir à tout ce qui lui arrivait. Il examina minutieusement les alentours. Quelques poissons l'encerclaient, surtout des gris ayant des tâches noires sur le dos et le bas du ventre blanc. Ça ressemblait, pensa-t-il, à de la morue, comme sa mère leur en faisait cuire. Il s'aperçut très vite que le fond de l'eau n'était pas très propre : de vieilles bouteilles traînaient çà et là, voisinant des contenants rouillés et d'autres déchets qu'il ne reconnut pas, comme ces pièces de métal tordu. Il s'y trouvait également de vieux pneus avec lequel le P'tit prince était plus familier, pour avoir souvent jouer avec ceux du camion de son père devenus trop usés.

Soudain, sans s'annoncer, un nuage assombrit le visage du P'tit prince qui se chargea d'une grande tristesse. Il était bien visible qu'il était troublé de voir autant d'ordures et d'objets qu'il ne connaissait pas. Il ne comprenait plus rien. Pourquoi les grandes personnes font-elles cela ?

Il venait de faire un saut dans l'avenir à la recherche de l'univers, mais, même avec un coeur d'enfant, il se doutait bien qu'il s'était produit des événements étranges et inhabituels.

CHAPITRE 5

LE SAUVEUR DU MONDE, LUI

Le P'tit prince venait juste de comprendre qu'il avait le pouvoir d'aller dans le futur quand son attention se porta sur une grosse masse immobile, à une trentaine de mètres de lui. Il s'avança à pas de poisson et y découvrit une grosse statue portant une grande cape, un peu comme dans les églises. Elle était plus grande que lui, haute comme une grande personne, à peu près. En se plissant les yeux, il s'aperçut qu'elle bougeait, que son corps était d'un matériau ressemblant à celui utilisé pour faire les fondations de la grange de son père. Par curiosité, il lui toucha la peau et elle n'était pas dure. Au contraire, elle était très spongieuse, pareille à de la chair de poisson, comme les grosses truites qu'il pêche avec ses petits voisins.

- *Statue ! Est-ce que tu parles, interrogea le P'tit prince ? Je t'appelle Statue, excuse-moi, je ne connais pas ton nom.*

- *Tu peux m'appeler Statue, ça ne me choque pas.*

- *Qu'est-ce que tu fais ici Statue ?*

Ça faisait tout drôle au P'tit prince de l'appeler comme ça, ça lui donnait le fou rire.

- D'une grosse voix : *Moi, mon p'tit, je suis ici pour sauver le monde, répondit-elle.*

- *Pour sauver le monde ?*

- *Pour sauver le monde !*

- *Pour sauver le monde, répéta-t-elle encore... Oui ! t'as bien compris. T'entends bien j'espère, parce que je n'aime pas répéter la messe pour les sourds ?*

- *Toi, mon p'tit gars, tu t'appelles comment ?*

- *Je ne sais pas Madame... hum ! Monsieur... je viens de naître.*

- *Conte-moi pas d'histoires, on ne vient pas au monde à ton âge... tu dois avoir au moins cinq ans ?*

- *Non, j'ai six ans. Six ans !*

- *Même si tu as six ans, on n'arrive pas au monde comme ça, déjà aussi grand... et tu ne m'as pas dit ton nom ?*

Le P'tit prince ne répondit pas, il n'était plus sûr de rien...

- *Habillé comme tu es, tu as l'air d'un prince; je te nommerai P'tit prince, o.k.*

Après un moment de silence...

- *Toi, P'tit prince, veux-tu être sauvé ?*

- *Mais, Monsieur, quelle sorte de monde vous sauvez, vous ne me l'avez pas dit ?*

- *Tous ces imbéciles qui ne savent pas où aller dans la vie, il faut bien que quelqu'un s'en occupe.*

- *Mais, Monsieur, on ne peut pas sauver les gens comme ça sans leur demander leur permission, il faut qu'ils le veulent.*

- *Tu ne connais pas ça le jeune, moi, je les sauve malgré eux. À moi ça fait plaisir, c'est ça qui est important. Eux, je ne sais pas; moi, j'ai fait mon travail en tout cas. Je suis un Sauveur de monde et c'est tout. Et tu es trop jeune pour comprendre : plus tard, quand tu auras grandi, tu... Va jouer plus loin et ne me dérange plus dans mon travail !*

Le P'tit prince repartit très malheureux et, avec ses mots d'enfants, ne put s'expliquer pourquoi.

CHAPITRE 6

LA SURVEILLANTE
DE POISSONS

Le P'tit prince n'avait pas encore fait trois pas et deux brasses que, à sa plus grande surprise, il vit une autre statue, de plus petite taille, celle-là. Il s'approcha d'elle.

- *Bonjour Madame la statue ! Je vous dis madame parce que vous avez l'air d'une madame avec votre belle chevelure bouclée.*

- *Salut mon p'tit, comment t'appelles-tu ?*

- *Ben, il y a un monsieur qui sauve les gens qui m'a appelé le P'tit prince. Est-ce que vous l'aimez mon nom, Madame ?*

- *Oui, c'est beau, oui, je pense que oui...*

- *Tu vas où comme ça mon P'tit prince ?*

- *Je visite l'univers* (répondit-il fièrement).

- Tu vas être déçu : ici, c'est pas l'univers, c'est seulement le fleuve Saint-Laurent.

- Le fleuve Saint-Laurent où on pêche la morue ? Pourquoi est-il si sale, le fleuve, Madame ?

- Les gens ne font pas attention et ils le prennent pour acquis, leur fleuve.

- Acquis... qu'est-ce que ça veut dire ?

- Ça veut dire qu'ils s'en servent sans penser que le fleuve est vivant et qu'on peut

pas lui faire avaler n'importe quoi.

- Madame, le fleuve Saint-Laurent... est-ce qu'il fait partie de l'univers ?

La statue ne répondit pas... mais le P'tit prince continua, sans répit, son interrogation.

- Vous, Madame, qu'est-ce que vous faites comme métier ?

- Moi, je surveille les poissons.

- Ah ! Ah ! C'est pas un métier ça de surveiller les poissons ! Je savais pas que les poissons avaient besoin de surveillance : je les pensais libres comme les oiseaux dans le ciel.

- Tu as mal compris le sens de mes paroles mon p'tit gars ! Je surveille les poissons pour que les hommes ne les détruisent pas tous sans compter. J'ai inventé un cri et je les avertis quand les bateaux arrivent avec

leurs gros filets. En entendant mon cri, ils se sauvent et vont jouer plus loin. C'est pour cela qu'il en reste encore un peu dans le fleuve.

- C'est très fatiguant ce métier-là (demanda le P'tit prince) ?

- Oui, je n'ai plus de temps pour moi, j'ai de grosses responsabilités, tu sais; je dois toujours être aux aguets jour et nuit, je n'ai plus jamais de congés.

Le P'tit prince, de tout son coeur d'enfant, était bien désolé pour la dame Surveillante de poissons et, pour la consoler, il lui raconta une petite histoire.

- Moi, Madame, j'ai une soeur un peu plus grande que moi, juste un peu. Grande comme ça (en lui montrant de sa main, plus haut que sa tête).

- Ma soeur n'était pas capable de traverser le chemin en face de la maison et, même

si je suis plus jeune, c'est moi qui devais toujours l'aider à le faire pour qu'elle aille jouer avec ses amis. Je ne pouvais jamais m'amuser en paix ! J'étais tanné de ça ! Un jour, je lui ai montré comment aller de l'autre côté de la route sans se faire frapper par les autos. Maintenant, je peux jouer sans être dérangé.

La Surveillante de poissons le regarda longuement et, en se retournant, lui dit :

- *Bon, mon garçon, je suis très occupée. Il y a des bateaux dans les parages. Je dois retourner au travail, excuse-moi, je dois m'en aller. Bonjour !* Et elle partit.

Le P'tit prince dut continuer son chemin (même s'il aimait parler des poissons), ne pouvant s'empêcher de croire que les grandes personnes ont de drôles de façons de penser. Tout était pourtant si simple pour lui !

CHAPITRE 7

TU N'ES PAS DE MA RACE

Le P'tit prince continuait son périple à la découverte de l'univers quand, à sa grande surprise, il vit plus loin d'autres statues. Il se plissa les yeux pour s'assurer de leur nombre. En effet, le fond du fleuve était peuplé de statues faisant comme une longue procession à la messe le dimanche. Il se dirigea avec enthousiasme vers la statue se trouvant la plus près de lui. Même avant que le P'tit prince eut le temps de lui adresser la parole, l'homme-statue lui dit d'un air hautain :

- *Passe ton chemin, tu n'es pas de ma race, je le vois bien. La couleur de ta peau diffère de la mienne et, pour ce qui est de ton habillement, on n'en parle même pas ! Je n'ai rien à faire avec toi ! Passe ton chemin et ne reviens plus !*

- *Ben, Monsieur, hum ! … vous ne m'avez même pas parlé encore. Je n'ai pas dit un seul mot et, déjà, vous ne m'aimez pas. Comment pouvez-vous être sûr et certain que je ne suis pas de votre race ?*

- *Tu dois être aveugle ou quoi, mon jeune ! Regarde-toi l'allure ! Au fait, tu t'appelles comment ?*

- *Ben, un monsieur, là-bas, qui sauve les gens, m'a appelé le P'tit prince. L'autre madame plus près d'ici a trouvé que ce nom était beau : et vous, qu'est-ce que vous en pensez ?*

- Je m'en fous. De toutes façons, je n'ai pas le temps de jouer à la devinette.

- Hé ! Monsieur ! Qu'est-ce qui vous fait dire que je ne suis pas comme vous ? Peut-être que ma couleur n'est pas la même, que mon habillement est différent, mais le coeur, vous ne le voyez pas... et c'est lui qui est important !

Et le Monsieur ne répondit pas...

- Hé ! Monsieur ! Avez-vous un coeur, vous ?

- C'est quoi cette histoire-là ? Qu'est-ce que le coeur a à voir dans les races ? On voit bien mon jeune que tu es un enfant et que tu ne réfléchis pas avant de parler.

- Vous ne parlez jamais avec votre coeur depuis que vous êtes une grande personne ?

- C'est une perte de temps et, en tout cas, j'prends plus de chance avec ça. J'aime

mieux choisir mes amis par la couleur de leur peau et leur habillement, comme ça, j'me fais plus jouer de tour. Le coeur, ça se voit pas et j'me fie plus à ça, c'est tout ! J'ai assez perdu de temps avec toi ! Passe ton chemin et ne viens plus m'embêter avec tes histoires de coeur et d'enfant !

Le P'tit prince, malgré lui, dut partir. Il trouvait que les grandes personnes avaient tout de même une drôle de façon de penser. Il aimerait bien les aider, mais personne ne le prenait au sérieux.

CHAPITRE 8

LE BÂTARD, LUI

Le P'tit prince, comme tous les petits garçons de son âge, aimait gambader, jouer, nager; même après une grande déception, il oubliait vite. Il continua donc son chemin en sautant d'une roche à l'autre, et pour ne pas trop voir la réalité, il ne se plissa plus les yeux pour un moment, ce qui lui permit de retourner dans sa tête, dans son monde d'enfants.

Avec toute la pollution qui s'y trouvait, il ne voyait pas le fond du fleuve non plus.

Malgré lui, il dut s'appliquer de nouveau pour voir, quand il aperçut une petite statue comme insérée entre deux grosses roches. Elle n'était pas plus haute que lui - le P'tit prince.

Son dos était recourbé comme si elle portait une lourde charge sur ses épaules. Pourtant, ce n'était pas un vieillard, mais un enfant.

Le P'tit prince lui toucha délicatement pensant que, avec sa tête penchée vers le sol, il pouvait sommeiller. Il ne dormait pas et il se redressa lentement comme courbaturé d'avoir été trop longtemps dans cette posture.

- *Es-tu malade* (demanda le P'tit prince) *?*

Il ne répondit pas tout de suite...

- *Es-tu malade ?*

44

- Non, je suis triste...

- Tu es triste, mais pourquoi ?

- On m'a abandonné ici très jeune et je suis gardé par les deux grosses roches. Je n'ai pas le droit de sortir !

- Tu n'as pas de parents non plus ?

- Non, je ne les ai pas connus.

- Moi, je m'appelle le P'tit prince. Aimes-tu ça (en espérant lui changer les idées) ?

- Oui, c'est beau, plus beau que mon nom en tout cas !

- Ça ne doit pas être si pire que ça, ton nom ! Veux-tu me le dire ?

- Tout le monde m'appelle Le Bâtard, et je ne sais même pas pourquoi.

- *Mais tu dois bien avoir un autre nom,* *comme tous les enfants ?*

- *Oui... et bien... je... je... je m'appelle* *Donald,* dit-il timidement.

- *C'est un beau nom Donald. Pourquoi* *ne pas l'employer plus souvent ?*

- *Ben ! Tout le monde m'appelle Le* *Bâtard !*

- *Toi, quand quelqu'un te demande ton* *nom, qu'est-ce que tu leur réponds ?*

- *Je réponds n'importe quoi, je suis gêné* *de dire mon vrai nom.*

- *Gêné de dire ton vrai nom ! Tu devrais* *être fier, il me semble !*

- *Si tu essaies de le dire plus souvent,* *crois-tu que les autres t'imiteront ?*

Et le petit Garçon-Statue se recourba la tête et plus un mot ne sortit de lui.

Le P'tit prince repartit désolé de ne pouvoir aider cet enfant si blessé intérieurement. Il ne comprenait pas pourquoi les grandes personnes ne font pas la différence entre les parents et les enfants...

CHAPITRE 9

LA GROSSE, ELLE

Pour étancher sa soif d'expérience, tout en se laissant porter par le fleuve, le P'tit prince était vraiment décidé à pousser jusqu'au bout l'exploration de l'univers.

Non loin de là, il aperçut une Grosse statue couchée au fond de l'eau. Après s'être plissé de nouveau les yeux, le P'tit prince se rendit compte qu'elle était même très très grosse, énorme. Il s'empressa tout naturellement de lui porter secours.

- *Hé ! Madame !*

Le P'tit prince n'avait plus de doute, c'était une madame : une grande robe lui recouvrait les pieds.

- *Peux-tu m'aider à me relever, mon garçon ?*

- *Je m'appelle le P'tit prince.* Même avant qu'elle lui pose la question. De toute façon, aussi bien se débarrasser de cette formalité : elle me le demandera tôt ou tard, pensa-t-il.

- *Peu importe ton nom ! Là, ce qui est urgent, c'est de me relever de cette fâcheuse position. Ça fait plusieurs jours que je suis couchée comme ça. C'était à la pleine lune, lors de la dernière grosse tempête; il y avait des vagues de trois ou quatres mètres de haut et je suis tombée. J'ai eu beau essayer encore et encore, mais je suis trop*

*grosse pour me remettre sur pied toute
seule.*

*- Mais Madame ! J'ai seulement six ans
et je ne suis pas très musclé pour mon âge,
et vous pesez pas moins de...* tout en es-
sayant, mais en vain...

*- Excusez-moi, mais je ne suis vraiment
pas capable de vous relever. Même avec
toute ma bonne volonté, je ne peux pas.*

- Tu es sûr que tu as assez essayé ?

- Vous êtes très grosse Mad... un peu
gêné. *Ben, vous me l'avez dit vous-même !
Il faudrait que vous maigrissiez un peu et
peut-être qu'après...*

Le P'tit prince s'en voulait de lui avoir
dit ce qu'il pensait, mais cela avait été dit
sans penser.

*- De quoi te mêles-tu p'tit arrogant ? Pour
qui tu te prends pour donner des conseils*

aux adultes ? Je maigrirai si je veux. Pour l'instant, là n'est pas la question. J'ai besoin d'aide pour me relever - et tout de suite.

Et la Grosse madame n'en finissait plus de rouspéter et le P'tit prince était dans ses petits souliers et regrettait d'avoir trop parlé, mais, pensa-t-il, on ne revient pas en arrière et je ne m'excuserai pas.

- *À quoi ça sert d'avoir un nom comme le tien, si tu ne peux aider les gens ? Va-t-en ! Je vais me débrouiller sans toi ! Un jour, il passera sûrement quelqu'un de costaud qui voudra bien m'aider.*

Quelqu'un de costaud ! Cela donna une idée au P'tit prince.

- *J'ai peut-être quelqu'un Madame qui pourra vous aider. Je l'ai rencontré plus loin par là* (en montrant du doigt).

Il est costaud et lui, son métier, c'est de sauver le monde.

Le P'tit prince retourna rapidement en arrière et informa le monsieur qui sauve les gens. Il reprit son chemin immédiatement à la recherche de l'univers, sans arrière-pensée et en rêvant à l'avenir.

CHAPITRE 10

UNE PAIRE DE PIEDS
POUR DEUX

Sur son chemin, le P'tit prince aperçut un bas-fond plein de grandes algues flottantes. À travers cette curieuse forêt, il vit deux moyennes statues, un peu plus grandes que lui. Elles étaient presque collées ensemble. En s'approchant encore plus, il a bien vu qu'elles ne possédaient qu'une paire de pieds pour les deux. Les yeux toujours plissés pour mieux voir, tout en écartant les longues algues qui lui collaient au corps, le P'tit prince les interpella.

- *Bonjour ! Comment allez-vous ? Vous êtes presque cachées avec toutes ces algues qui vous entourent !*

- *Comment tu t'appelles mon p'tit garçon* (lui demandèrent-elles en choeur) *?*

- *Je m'appelle le P'tit prince. J'en suis sûr, rajouta-t-il.*

- *Pourquoi « J'en-suis-sûr » ? Est-ce un nom de famille ?*

- *Non, non. Je voulais juste dire que, maintenant, c'est le nom que je porterai tout le temps (j'en suis sûr).*

- Toujours en choeur - *C'est un beau nom !*

- *Vous n'avez pas répondu à ma question...*

Avec le P'tit prince, pas une seule question ne devait rester sans réponse.

- *Pourquoi êtes-vous si bien cachées par les algues ?*

- *Elles ont poussé avec le temps, parce que personne ne vient nous voir, et nous sommes gênées de sortir. On dirait que les gens nous évitent. Ils nous trouvent différentes des autres. Mais toi, tu es venu directement, sans hésiter, pourquoi ?*

Et sans laisser le temps au P'tit prince de répondre, elles lui demandèrent en duo :

- *C'est-y parce que t'es un enfant ?*

C'était la première fois, songea-t-il, depuis le début de son aventure, qu'une question l'embêtait, mais il la trouvait intéressante. Il était très heureux qu'enfin des gens posent une autre question que : Quel âge as-tu ? Quel est ton nom ? Enfin !

Quelqu'un s'intéressait à lui pour ce qu'il était.

Un long silence s'était installé et personne n'osait rien ajouter à cette question. Dans sa tête, le P'tit prince prenait vraiment conscience de la différence entre l'enfant et l'adulte. Il réfléchissait... Pourquoi les adultes deviennent-ils tellement différents des enfants en vieillissant ? Est-ce normal pour eux ? Il se disait que, lui, en prenant de l'âge, il garderait toujours son coeur d'enfant. Pourtant... mais si aucun adulte n'a réussi, comment s'arrangerait-il, lui, pour y parvenir ? Est-ce si difficile que ça ? Ça bourdonnait d'interrogations de toutes sortes dans sa petite tête. Il sortit de son rêve quand les jumeaux s'adressèrent de nouveau à lui.

- *Tu ne nous as pas répondu; pourquoi tu ne parles plus ?*

Le P'tit prince hésita de nouveau et leur dit :

- Je ne comprends pas pourquoi les gens vous évitent : parce que vous n'êtes pas comme les autres ? Pourtant, les enfants, eux, sont attirés par tout ce qui est différent et amusant.

Cette question le dépassait tout simplement; pour lui, c'était tellement naturel de vouloir découvrir le monde. Il compatissait avec les jumeaux et il leur souhaita bonne chance. Il repartit en se répétant plusieurs fois : *« pourtant ils sont uniques, ils sont uniques, pourtant, pourtant ».*

CHAPITRE 11

ET LE MOUTON, LUI

Même si le P'tit prince a rencontré plusieurs grandes personnes depuis son arrivée dans ce monde étrange, il demeurait triste. Il se disait que, si c'était cela l'univers, ça ne valait peut-être pas la peine de le découvrir. À chaque nouvelle rencontre, il lui restait un peu plus de peine dans le coeur. Il ne comprenait pas toujours les adultes.

Un peu désintéressé à présent, il continuait tout de même d'avancer, la tête haute, les yeux grands ouverts, pour en voir le moins possible dans cette eau brumeuse. Le P'tit prince regardait très loin devant lui, comme un peu dans la lune.

Tout à coup, il trébucha, mais, heureusement, sans se faire mal, vu qu'il était dans l'eau. À travers l'eau embrouillée, il entrevoyait une masse grisonnante, juste au ras du sol. Il ne distinguait pas très bien la forme puisqu'il avait oublié de se plisser les yeux. Après l'avoir fait, il aperçut un tout petit mouton couché dans le fond de l'eau. Non loin de là, une grosse statue semblait le surveiller. Le P'tit prince se dit qu'enfin il aurait un ami pour jouer.

Un problème se posait cependant : comment parler à un petit mouton ?

-   *En mouton, se dit-il, tout fort !*

-   *Bais... bais...*

Et le petit mouton ne répondit pas. De nouveau, il essaya, et plus fort cette fois-ci.

- *Bais... bais...*

Mais le mouton resta muet. Tout ce qu'il fit, c'est de se lever la tête et de regarder le P'tit prince tendrement.

La grosse statue dit :

- *Je suis son maître, et toi, mon garçon, que fais-tu là ?*

Le P'tit prince répondit à son tour par une question :

- *Pourquoi votre petit mouton ne parle-t-il pas ? Il ne sait pas parler !*

La statue de rétorquer :

- *Je lui ai enseigné à ne pas parler aux étrangers.*

- *Moi, je ne lui voulais pas de mal à votre petit mouton : je désirais simplement jouer avec lui.*

- *Les moutons, mon garçon, ce n'est pas fait pour jouer : c'est fait pour faire pousser de la laine.*

- *Jouer juste un peu avec lui n'empêchera pas sa laine de pousser !*

- *Non ! Non ! mon garçon, il n'en est pas question. Mon métier à moi, c'est sérieux : je suis un berger et ici on ne s'amuse pas ! Passe ton chemin ! Et ne me dérange plus.*

- *Mais... monsieur le Berger...*

Le Berger lui tourna le dos et, tout bouleversé, il dut repartir et reprendre son chemin.

- *« Hé ! mon p'tit garçon ! », cria le Berger...*

Le P'tit prince se retourna en espérant que le Berger avait changé d'idée. Peut-être pourra-t-il jouer avec le petit mouton.

- *Hé ! Comment t'appelles-tu mon p'tit et quel âge as-tu ?*

Le P'tit prince, même si sa réaction lui paraissait impolie, ne répondit pas. Il repartit en pensant qu'il aurait pu avoir un ami, si une grande personne ne s'était pas opposée à cette amitié.

Pourquoi ne jouent-elles pas les grandes personnes, se questionna-t-il, tout en marchant ?

CHAPITRE 12

ET LES PARENTS, EUX

Le P'tit prince n'avait eu que le temps de se tourner la tête et il se heurta contre deux statues qui passaient. Il réalisa très vite que quelque chose n'allait pas entre elles.

- *Ma foi, dit-il, elles se chicanent.*

En prêtant de nouveau l'oreille :

- *Mais, elles sont très fâchées !*

La preuve, c'est qu'elles n'ont même pas remarqué la présence du P'tit prince qui essayait de les rattraper pour leur demander (curieux comme il est) la raison de leur dispute.

- *Hé ! Monsieur ! Hé ! Madame ! cria-t-il. Est-ce que je peux vous aider ?*

Mais les deux adultes continuaient leur route comme si de rien n'était, toujours très occupés à se quereller.

Le P'tit prince avait beau crier, mais il n'était pas assez grand et ne marchait pas assez vite. Il se découragea et les laissa continuer leur chemin. Il les suivit lentement, les regardant s'éloigner. Il ne plissa pas ses yeux pour ne pas trop souffrir. Ces événements lui faisaient penser que les grandes personnes se privent souvent de l'aide des enfants quand elles se querellent...

CHAPITRE 13

ET CELUI QUI PRIE, LUI

Le P'tit prince reprit vite espoir quand, en se plissant les yeux, il vit, un peu plus loin, une statue adulte, agenouillée, qui semblait prier. Il n'osa pas la questionner, car on lui avait appris à ne pas déranger les gens en prière à l'église. Mais le monsieur Prieur l'avait quand même aperçu d'un coin d'oeil et il lui dit :

- *Tu peux venir mon p'tit. Mon p'tit... tu ne me déranges pas ?*

- *Je m'appelle le P'tit prince et j'ai six ans* (qu'il lui dit, sans attendre la question).

- *C'est un beau nom, mais que fais-tu dans ce monde d'adultes ?*

- *J'étais dans ma balançoire, je regardais le ciel et j'avais une folle envie de découvrir l'univers, et me voilà !*

- *Comme ça, tu penses que c'est ici l'univers, dans l'eau du fleuve ?*

- *Je ne savais pas où c'était moi, Monsieur, l'univers. Je suis arrivé ici sans choisir.*

- *Ah !*

- *Pensez-vous monsieur le Prieur que c'est important de savoir où c'est l'univers ?*

- Et le Monsieur ne répondit pas et continua à prier.

- *Hé ! Monsieur ! Pourquoi priez-vous tout le temps* (le P'tit prince n'abandonnait jamais) *?*

Et il ne répondit pas.

- *Vous n'êtes pas tanné de prier tout le temps comme ça ?*

Enfin, il arrêta pour lui répondre.

- *Je prie pour expier mes péchés. J'ai été très vilain dans le passé et je dois payer pour cela. J'ai peur de mourir avec cette peine, c'est pour cette raison que je prie. J'en ai pour le restant de ma vie. Oui ! Oui ! J'ai été très méchant et je ne peux plus oublier tout ce que j'ai fait aux gens.*

- *Je suis très triste pour vous, mais je ne comprends pas pourquoi vous êtes obligé de prier toute votre vie. C'est vrai que je ne suis pas une grande personne. En tout cas, chez les enfants, par exemple, quand ma mère me punit dans un coin, je suis abattu, mais quand elle me donne la permission d'aller jouer, je redeviens gai et mon coeur se sent neuf comme une pomme qu'on n'a pas encore mangée.*

Et le monsieur ne disait plus rien.

- *Vous savez Monsieur, c'est important de s'amuser... et de découvrir de nouveaux jeux.*

L'homme agenouillé regardait le P'tit prince avec un air de tendresse et il baissa la tête, tout en continuant à marmonner ses prières. Et le P'tit prince aurait beaucoup à lui dire, car chez les enfants il y a aussi des moments de grande peine quand on s'aperçoit qu'on a mal fait, mais après la réprimande des parents, on oublie vite. Pas question de se sentir coupable toute notre vie à cause d'un mauvais coup à quelqu'un (à ses soeurs, par exemple). C'est arrivé au P'tit prince et il s'est pardonné.

CHAPITRE 14

ET L'HOMME DU PEUPLE, LUI

Le P'tit prince continuait son chemin, les yeux grands ouverts pour mieux réfléchir. L'univers serait-il un monde d'adultes ? L'eau était vraiment très trouble et il ne savait plus s'il devait se plisser les yeux de nouveau, car, jusqu'à présent, il n'était pas très heureux de découvrir l'univers. Il se posait de sérieuses questions quand un bruit très sourd attira son attention et le sortit de ses mauvais songes.

Ce grondement ressemblait étrangement au son de la voix de quelqu'un qui ferait un discours. Comme pour tous les enfants, sa curiosité l'emporta sur sa morosité et il accourut pour savoir ce qui se passait.

En approchant, il se plissa les yeux pour mieux voir. Il aperçut, sur un gros rocher, une statue d'homme très élégant qui faisait des gestes vigoureux et qui parlait comme s'il s'adressait à une foule. Pourtant, le P'tit prince ne voyait aucun rassemblement, seulement une ou deux statues qui se tenaient à plusieurs mètres et n'osaient s'approcher. Il ne comprenait pas la nécessité de tant d'efforts. À la fin de son discours, l'Homme du peuple descendit de son promontoire et, s'approchant du P'tit prince, heureux d'avoir quelqu'un qui l'écoute, lui demanda :

- *Hé ! Mon p'tit ! Comment as-tu aimé mon discours ?*

- *C'était bien, répondit-il poliment.*

- Tu sais mon jeune ami, c'est mon métier de parler aux gens. En ma qualité d'Homme du peuple, je suis là pour t'aider si tu veux. Comment t'appelles-tu et quel âge as-tu ?

Sans même lui laisser le temps de répondre, il lui demanda :

- As-tu l'âge de voter ?

Le P'tit prince s'aperçut bien vite que le visage de l'Homme du peuple changeait et que son sourire disparaissait... et ce dernier lui dit avec amertume :

- C'est dommage, si tu avais eu l'âge de voter, j'aurais pu faire de grandes choses pour toi.

- Je suis désolé Monsieur, mais j'ai seulement six ans.

Le P'tit prince se courba la tête comme coupable d'être aussi jeune, mais quand il la redressa, le monsieur n'était déjà plus là. Il dut reprendre son chemin, mais en pensant que les grandes personnes ne font rien pour rien. C'est peut-être pour cela qu'elles ne jouent plus…

CHAPITRE 15

L'HOMME À LA CAPE
ORANGE, LUI

Le P'tit prince n'était pas encore revenu de sa dernière rencontre quand il se fit accoster par une jeune statue adulte, tout habillée d'une épaisse cape de couleur orange, fabriquée avec des milliers de coquillages brillants. Cette statue paraissait tellement différente de toutes celles qu'il avait vues jusqu'à maintenant. Elle semblait resplendir d'une telle joie de vivre !

- *Comment vas-tu mon p'tit ?*

Sa voix était douce et mielleuse comme la musique de Noël quand les parents du P'tit prince donnent les cadeaux. Et sans attendre sa réponse, il continua :

- *Tu ne devrais pas te tenir ici dans ce monde d'adultes, il y a des dangers, tu n'as personne pour te protéger.*

C'était bon de l'entendre, pensait le P'tit prince. Sa voix le charmait et, depuis le départ de sa balançoire à la découverte de l'univers, il n'avait connu que des grandes personnes qui pensent à elles.

- *Tu sais, reprit le jeune homme, je m'occupe d'un groupe qui se consacre au service des plus pauvres de cette Planète-Univers et je te verrais très bien nous aider dans cette tâche difficile, mais combien merveilleuse, que nous avons entreprise. Viens, suis-moi, et je t'apporterai le bonheur.*

Le P'tit prince était emballé par le discours de cette statue. Enfin, il avait trouvé

une grande personne bonne et charitable avec les autres.

Mais une chose agaçait le P'tit prince. Il n'avait pas encore réussi à poser une seule question, lui qui voulait tout savoir tout le temps. Et il commençait à trouver le temps long.

- *Viens avec moi mon garçon et tu n'auras plus à...*

Il ne s'arrêtait jamais. Le P'tit prince avait pris la décision, même si ce n'était pas poli, de lui couper la parole.

- *Hé ! Monsieur ! Avec vous, est-ce que je pourrai découvrir l'univers ?*

- *Ben certain mon garçon, je suis envoyé par l'univers. En me suivant, tu connaîtras l'univers et tu n'auras plus à t'en faire. Je t'expliquerai plus tard...*

Pendant qu'il continuait à essayer de le convaincre, le P'tit prince réfléchissait. Ce peut-il qu'il soit, à lui tout seul, l'univers ? Dans son âme d'enfant, sans pouvoir se l'expliquer, il y avait quelque chose qui clochait.

Il l'interrompit de nouveau pour lui demander :

- *Hé ! Monsieur ! Comment vous, vous l'avez trouvé l'univers ?*

La belle statue devint très songeuse et elle ne répondit pas. Elle semblait très embêtée que le P'tit prince lui pose cette question et elle baissa les yeux. Elle repartit sans se retourner et elle disparut dans cette eau sale. Et le P'tit prince ne se plissa pas les yeux pour voir où elle s'en allait. Ce qui le frappait dans cette rencontre, c'est que cette **étrange Statue à la Cape Orange** ne lui avait demandé ni son nom ni son âge. C'est vrai, pensa-t-il, qu'elle était

était différente des autres grandes personnes qu'il avait rencontrées.

CHAPITRE 16

LE DISEUR DE BONNES AVENTURES, LUI

Le P'tit prince s'assit un instant, car il regrettait presque le temps où il jouait avec les petits voisins. Il trouvait la tâche entreprise très ardue, et l'envie d'abandonner le hantait. Il n'en pouvait tout simplement plus de découvrir comment les grandes personnes compliquent les choses. Malgré toutes ses déceptions, il demeurait encore curieux. Après un court repos, il repartit en sautillant. Ce ne fut pas très long avant qu'il n'aperçoive un vieil homme qui ressemblait étrangement à un Indien, comme dans les livres d'images. Il s'approcha de lui et l'homme lui adressa aussitôt la parole.

- *Bonjour, tu ressembles à un p'tit prince, habillé comme ça.*

- *Merci Monsieur, vous êtes très gentil. C'est la première fois que quelqu'un m'appelle par mon vrai nom sans me le demander.*

- *Tu sais mon jeune ami quand, dans notre tête, on est convaincu de quelque chose, eh bien, cette chose devient vraie.*

- *Vous, Monsieur, demanda le P'tit prince, vous faites quoi dans la vie pour deviner le nom des gens ?*

- *Moi, je suis un Diseur de bonnes aventures : je vois tout.*

- *Vous voyez tout : le passé, le présent et l'avenir ?*

- *Oui, c'est ça : le passé, le présent et l'avenir.*

- *Je peux te dire ton avenir si tu veux.*

- *Moi, dit le P'tit prince, je veux juste savoir pourquoi je suis à la recherche de l'univers.*

Le vieil homme sembla surpris de cette question et il répondit :

- *Ben, mon garçon... tu n'aurais pas autre chose à me demander. Veux-tu savoir ce que tu feras plus tard ? Veux-tu savoir si tu gagneras beaucoup d'argent, si tu auras des enfants, plusieurs femmes dans ta vie... ?*

Et il marmotta, désemparé...

- *D'habitude, les gens me demandent...*

Et il se tut. Le vieillard tourna le dos au P'tit prince et s'en alla un peu recourbé. Et le P'tit prince resta planté là, debout, pendant plusieurs minutes, sans comprendre ce qui s'était passé; il dit tout haut :

- *Pourquoi les grandes personnes ne veulent-elles pas entendre parler de l'univers ?*

Et le P'tit prince désespérait d'avoir un jour une réponse à sa question, mais une petite lueur restait allumée à l'intérieur de lui. Malgré tout, il décida de continuer son chemin.

CHAPITRE 17

L'HOMME QUI SE DISAIT MALCHANCEUX, LUI

Le P'tit prince poursuivit sa route à la recherche de l'univers, toujours convaincu, au plus profond de son coeur, qu'il trouverait un jour la réponse.

C'est dans cet état d'esprit qu'il s'approcha avec délicatesse d'un homme-statue d'une quarantaine d'années. Enfin, c'est l'âge qu'il lui donnait, vu les quelques cheveux blancs qui grisonnaient légèrement sa tête. Cet homme marmonnait son mécontentement et n'avait pas aperçu le P'tit prince qui faisait pourtant tout pour se faire remarquer. Il avait beau lui faire des signes avec ses bras, essayer de lui parler, mais rien n'y faisait; l'homme était dans son monde. Il critiquait tout et tout allait mal dans sa vie. À l'entendre, sa femme ne faisait pas bien la cuisine, son voisin était jaloux de sa réussite, ses enfants étaient des paresseux, il pleuvait tout le temps et il n'aurait pas de bonnes récoltes, le gouvernement était malhonnête et il était écrasé par les taxes de toutes sortes... Il n'en finissait plus de se plaindre de tout et de rien.

Au bout d'un moment, il aperçut le P'tit prince.

- *Qu'est-ce que tu fais là, toi ? Tu n'es pas en train d'aider ton père ? À l'âge que tu as, tu devrais travailler plutôt que de traîner un peu partout. À part ça, comment t'appelles-tu et quel âge as-tu ?*

- *Je m'appelle le P'tit prince et j'ai six ans.*

L'homme reprit en bougonnant...

- *Quel nom bizarre !*

- *Pourquoi Monsieur, avez-vous l'air si malheureux, vos affaires vont-elles aussi mal que ça ?*

- *Qui est-ce qui t'a mis ça dans la tête, p'tit impertinent ! Je ne suis pas pour dire que ça va bien, tout le monde va vouloir profiter de moi et avoir mon argent.*

L'homme semblait surpris d'avoir lâché ces paroles devant le P'tit prince. Il s'excusa et partit en courant, prétextant que sa récolte était en train de périr.

Encore une fois, avec sa tête d'enfant de six ans, le P'tit prince ne comprenait plus rien. Mais son coeur, lui, sentait tout. Il lui semblait que les grandes personnes devraient apprendre à se faire confiance entre elles. Pourquoi ne le font-elles pas ? Et il se mit à marcher en répétant : *Pourquoi ? Pourquoi ?*

CHAPITRE 18

ET LE SEMEUR, LUI

Plus ça allait et plus le P'tit prince se sentait malheureux à travers tous ces gens qui ont perdu leur âme d'enfant. Est-ce que l'univers, se questionnait-il, n'est peuplé que de grandes personnes qui ne s'aiment pas, qui n'aiment pas les autres et qui ont perdu l'envie de jouer ? Il s'assit sur une grosse roche de longues minutes pour réfléchir à son avenir en s'interrogeant silencieusement. Est-ce que je vais continuer dans ma recherche de l'univers ?

Depuis son arrivée dans ce monde de grandes personnes, tout avait été très vite, trop vite, songea-t-il, pour un petit garçon de six ans. Si seulement les gens voulaient se faire aider. Le P'tit prince revit dans sa tête toutes les rencontres qu'il avait faites. Il réalisa que, parmi elles, une seule personne lui avait demandé son aide, et il n'avait rien pu faire, la Dame étant trop grosse. Aucune n'a demandé à jouer avec lui. Il y aurait bien eu le petit mouton, mais son maître ne voulait pas. De jouer un peu n'aurait pas empêché sa laine de pousser ! Personne non plus ne lui a demandé de lui faire une petite commission. Il aurait bien aimé en faire au moins une.

Le P'tit prince s'ennuyait à mourir de ses amis. Les adultes sont trop sérieux et ne comprennent rien; ils compliquent toujours tout. Dans sa petite tête d'enfant, il était bien décidé à retourner chez lui, dans le bout du rang 8. Au moins, là-bas, il pouvait parler à ses soeurs, à ses amis, et ils l'écoutaient. Il y avait aussi ses parents :

eux, c'est vrai qu'ils ne l'écoutaient pas toujours, mais, au moins, ils s'occupaient de lui. Il sourit quand il pensa à son chat, à son chien; même le coq lui manquait ! Pourtant, quelquefois ce dernier le poursuivait quand il allait ramasser les oeufs. Même s'il devait rentrer le bois, aller chercher les vaches, c'était décidé, il s'en allait chez lui.

Il commença donc à marcher pour trouver l'endroit où il était arrivé du ciel et de sa balançoire. Il n'avait que quelques pas de faits quand il entendit une grosse voix, comme quelqu'un qui souffle dans un carton enroulé.

- *Mon P'tit prince ! Mon P'tit prince !*

La voix résonna comme l'écho.

Il avait beau regarder tout autour, il ne vit rien.

- *Mon P'tit prince ! Mon P'tit prince !*
(une autre fois…).

Il tendit l'oreille :

- *Oui Monsieur ! Vous m'avez parlé; où êtes-vous ?*

- *Tu ne peux me voir.*

- *Monsieur, qui êtes-vous ?*

- *Je pourrais dire que je suis le Semeur.*

- *Le Semeur, ce ne serait pas celui qui sème du blé comme mon père ?*

- *Si tu veux. Tu as raison, mais…*

Et le P'tit prince se tut.

- *Tu me sembles bien découragé. Je t'écoutais il y a quelques minutes et je pense que tu ne devrais pas désespérer. Tu*

es sur la terre pour jouer un rôle important.

- Vous voulez rire de moi ! Ici, personne
ne m'écoute. Chez moi, au moins, je peux
parler à mon chat et à mon chien.

- **Tu penses vraiment que personne ne
t'écoute ? Ça peut te donner cette impres-
sion-là, mais les adultes n'osent jamais
faire voir aux enfants qu'ils sont souvent
plus sages qu'eux.**

- Depuis que je suis ici, j'ai rencontré
plusieurs grandes personnes et aucune ne
m'a laissé voir qu'elles tenaient compte de
ce que je disais. Parfois, même si elles
avaient de la peine, elles s'en allaient sans
rien dire. Elles ne voulaient pas en discu-
ter.

- **Je sais ce que tu veux dire, mais si le
semeur se décourageait quand il met sa
petite graine dans le sol, il n'y aurait pas**

de récolte.   As-tu déjà vu une graine de pin, de betterave ou de blé ?

- J'ai déjà vu des graines de betteraves et de blé quand mes parents en semaient.

- Trouves-tu cela petit une graine ?

- Ah oui ! C'est très petit !

- Quand vous les semiez, mon P'tit prince, est-ce que vous comptiez les graines avant de les mettre en terre ?

- Ben non ! On ne les comptait pas : les graines de betteraves, elles sont bien trop petites à compter !

- Et alors, avez-vous eu des betteraves quand même ?

- Ah oui ! Elles étaient grosses et bonnes, et je les aime cuites avec du beurre et du pain frais.

- *Ta mère, était-elle heureuse de sa récolte, même si elle ne comptait pas les graines ?*

- *Ah oui !* Répondit le P'tit prince en souriant.

- *Eh bien, si tu comprends ce que je viens de t'expliquer, tu vas comprendre qu'avec les grandes personnes, c'est pareil : tu as planté une graine à chaque fois que tu as dit un bon mot. Dans la terre, il y a des petites graines qui ne pousseront pas, comme c'est arrivé pour les graines de betteraves, mais sois sûr et certain que si tu as semé tes encouragements avec ton coeur, tu feras une bonne récolte.*

Le P'tit prince tournait toutes ces paroles dans sa petite tête et faisait signe que ce que le Semeur lui disait avait bien du bon sens.

- *Je sais mon P'tit prince que tu dois retourner chez toi : tes parents, tes soeurs et tes amis ont tous besoin de toi. Les grandes personnes courent le monde à la recherche de l'univers, ne fais pas la même erreur qu'elles. L'univers, mon P'tit prince, tu l'as toujours avec toi. L'univers, c'est ce qui t'entoure où que tu sois : tes parents, tes amis, ton chat, ton chien et tout ce qui fait partie de ta vie de tous les jours. Et il y a encore une chose importante que je voulais te dire et que tous les enfants sont capables de comprendre; c'est naturel chez eux.*

- Que voulez-vous dire monsieur le Semeur ?

- Eh bien, ne le dis à personne, c'est un grand secret et chaque être sur la terre doit le découvrir par lui-même; jamais aucun n'a réussi à en convaincre un autre...

- C'est quoi ? C'est quoi ?

- Tu dois toujours avoir confiance, même dans tes plus petites actions, parce que rien

ne se perd. N'oublie surtout pas que l'univers est en toi, mon P'tit prince... et... garde-toi toujours un peu de temps pour jouer...

TABLE DES MATIÈRES

Au-delà du voyage
Marcel Gagnon, 189 pages, 19,95 $

Au-delà du voyage vous amènera à mieux connaître ce peintre-sculpteur qui, après son périple en motorisé sur les terres mexicaines, vous ouvre sa porte sur sa perception de l'art, de la créativité et de la méditation. Sa vie de tous les jours, ses souvenirs de jeunesse, ses ouvrages et même ses aventures immobilières sont racontés avec simplicité.

Récits, poèmes et dessins nous font découvrir cet artiste, avec ses pensées positives et son cheminement mystique.

Vingt-quatre heures de ma vie
Marcel Gagnon, 139 pages, 15,95 $

Écrit en quarante-huit heures, ce récit raconte, en toute simplicité, une journée de la vie de l'auteur passée à sa cabane à sucre et remplie de gestes, de sentiments, d'émotions, de rêves et de méditations.

Entouré des érables et accompagné du crépitement du poêle à bois, Marcel Gagnon nous fait découvrir - en passant de la réalité au rêve, de l'abandon à l'acceptation - de nouvelles dimensions de l'homme dans son présent.

Réincarné à quarante ans
Marcel Gagnon, 158 pages, 19,95

Réincarné à quarante ans, un premier roman où l'auteur nous fait découvrir une autre facette de sa vision surréaliste. Il nous propose une intrigue où un homme naît à l'âge de quarante ans, sans souvenir, avec un présent, sans lendemain.

Suivez ce personnage qui se débat pour retrouver des traces de son passé, pourtant inscrit au plus profond de lui-même. Toute cette aventure se passe dans la belle région de la Vallée de la Matapédia, dans le Bas du Fleuve.

La Voie
Le chemin qui mène à soi
Marcel Gagnon, 130 pages, 12,95 $

L'auteur, par ses pensées positives et son cheminement mystique, nous fait découvrir le chemin qui mène à soi, en nous permettant de revivre les bonheurs, les difficultés, les embûches parcourus que sont la découverte et la conquête de notre spiritualité.

Chacun se reconnaîtra à une étape donnée et pourra, ainsi, se situer dans sa propre démarche, voir comment il pourra y arriver, en évitant les pièges des faux gourous et des sectes, **en écoutant son maître intérieur.**

Tu peux te permettre
Prendre conscience de sa liberté
Marcel Gagnon, 174 pages, 12,95 $

« Se permettre d'être », c'est vraiment donner un sens à sa vie. Combien de gens se permettent-ils d'être eux-mêmes, de rire, de pleurer, de crier et de vivre pleinement, sans préjugé, pour eux-mêmes d'abord... ? Dès notre jeune âge, pour répondre aux exigences de notre environnement, nous avons été conditionnés à ne pas s'exprimer, à « ne pas se permettre ». Aux dires d'un bon nombre de psychologues, nous perdons, très tôt en cours de route, notre âme d'enfant, même parfois avant d'avoir atteint l'âge de cinq ans. Avec des mots simples, l'auteur nous aide à comprendre, à voir un peu plus clair, « pour mieux se permettre ».

L'intuition
Se préparer à recevoir de la grande visite
Marcel Gagnon, 145 pages, 12,95 $

Quand on reçoit de la grande visite, on est heureux, on a le sourire facile, on nettoie la maison, on fait le ménage partout, on prend notre douche et l'on se pare de nos plus beaux atours. Ce n'est pas différent avec l'intuition. Pour avoir droit à sa présence, il faut se sentir bien, faire le ménage du mental et être disponible et accueillant. Avec simplicité, l'auteur nous parle de ses découvertes, des ses recherches qui l'ont mené à comprendre le phénomène de l'intuition dans sa vie de tous les jours. Il nous démontre comment nous pouvons y avoir accès **en lâchant prise**.

Faire un succès de sa vie,
POURQUOI PAS ?
Se servir des événements de la vie pour créer
Marcel Gagnon, 134 pages, 12,95 $

Ce livre a été écrit en voyage lors d'une panne mécanique de quelques jours. L'auteur s'est servi de cet événement pour écrire un livre sur le succès. Il nous raconte comment les événements pris positivement peuvent enrichir notre vie spirituelle et matérielle et nous conduire vers la réussite. Au lieu de nous lamenter sur notre sort, pourquoi ne pas nous enrichir de ce que nous sommes ? C'est nous, en fait, qui créons notre destinée. Servons-nous de tout ce qui nous arrive pour faire un succès de notre vie. Pourquoi pas ?

Le P'tit prince de Sainte-Flavie
Marcel Gagnon, 107 pages (18 illustrations couleurs), 19,95 $

Nous avons tous un p'tit prince qui sommeille en nous et nous sommes tous à la recherche de l'univers. L'auteur, à partir de ses expériences de vie et de son côté créateur, nous dévoile son p'tit prince intérieur. Il a choisi de le faire à travers une histoire fantastique où les personnages évoluent sous l'eau du fleuve Saint-Laurent à Sainte-Flavie et se confondent avec les statues de béton qui prennent vie avec les hautes marées. Le P'tit prince est confronté au monde de l'adulte qui, avec tous ses problèmes, oublie le côté merveilleux de la vie. La simplicité n'est-elle pas dans le regard de l'enfant ? Un message d'amour universel : à lire pour les 7 à 97 ans.

Sous l'aile de l'artiste
Une biographie de Marcel Gagnon
Ghislaine Carrier, 170 pages, 19,95 $

« Depuis de nombreuses années, les gens nous demandent une biographie de l'artiste-peintre, sculpteur et écrivain Marcel Gagnon. Parler de Marcel comme artiste, c'est avant tout parler de lui en tant qu'homme, père de famille et surtout comme partenaire de ma vie depuis plus de vingt-cinq ans. J'ai voulu vous le présenter, vous faire comprendre son cheminement, vous faire voyager dans le temps jusqu'à ses sculptures en béton qu'on retrouve, aujourd'hui, dans le fleuve Saint-Laurent, tout près du Centre d'art à Sainte-Flavie. Suivez-moi, page après page, je vous promets des surprises inédites. »

L'envol... de notre enfant intérieur
Ghislaine Carrier, 144 pages, 19,95 $

Tout au long de notre existence, nous aurons le sentiment constant de vivre de nombreux et successifs envols. Ce périple commence dès notre naissance, lorsque nous sortons du ventre de notre mère. La première journée scolaire, le premier emploi, le départ du nid familial, le mariage, la venue des enfants, un changement d'emploi, des cours de croissance, voilà autant de rêves d'envol. A travers ces pages, l'auteure nous amène à réfléchir sur notre propre vécu. En marchant à sa suite, elle nous aide à briser une à une les barrières érigées au cours de chaque nouvel envol, à éliminer les faux modèles, à apprendre à se pardonner et à pardonner aux autres.

Transition
de l'alimentation traditionnelle à l'alimentation naturelle
Claudette Gagnon Ricard, 211 pages, 19,95 $

« Nous sommes en train de nous dégénérer, il faut réagir ! » Ce livre s'adresse aux débutant(e)s qui désirent changer ou améliorer leur alimentation. L'auteure nous donne quelques suggestions basées sur ses expériences, sa façon de penser et son vécu des dernières années.

Transition, c'est une façon d'ajouter à votre alimentation rapide d'aujourd'hui des aliments naturels et sains, d'enlever du panier de provisions les aliments toxiques, de diminuer les gras et les sucres raffinés et, de plus, d'ajouter à vos menus de nouvelles recettes régénératrices qui ont une grande valeur nutritive.

À paraître bientôt :

Marcel Gagnon : *L'observateur observé*

et en réédition condensée : *Au-delà du voyage et Vingt-quatre heures de ma vie*, incluant tous les poèmes de l'artiste à ce jour.

BON DE COMMANDE

Parutions - **Marcel Gagnon**

Au-delà du voyage	19,95 $ + taxe = 21,35 $
Vingt-quatre heures de ma vie	15,95 $ + taxe = 17,07 $
Réincarné à quarante ans	19,95 $ + taxe = 21,35 $
La Voie	12,95 $ + taxe = 13,86 $
Tu peux te permettre	12,95 $ + taxe = 13,86 $
L'intuition	12,95 $ + taxe = 13,86 $
Faire un succès de sa vie	12,95 $ + taxe = 13,86 $
Le P'tit prince de Ste-Flavie	19,95 $ + taxe = 21,35 $

Parutions - **Ghislaine Carrier**

Sous l'aile de l'artiste (biographie
de Marcel Gagnon)   19,95 $ + taxe = 21,35 $

L'envol... de notre enfant
intérieur   19,95 $ + taxe = 21,35 $

Parution - **Claudette Gagnon Ricard**

Transition de l'alimentation traditionnelle
à l'alimentation naturelle   19,95 $ + taxe = 21,35 $

Adressez votre bon de commande aux
Éditions du Grand Rassemblement
564, route de la Mer
Sainte-Flavie (Québec)
G0J 2L0   Tél.: 1-418-775-2829   Fax : 1-418-775-9548

Votre choix de livre(s) :   . . . .
. . . .
Nom :   . . . .
Adresse :   . . . .
. . . .
Code postal :   . . . .   No. de tél.: . . . .
Total de votre commande :   . . . . $
Plus frais d'envoi postal :   . . . .   3,50 $

Montant de votre chèque ou mandat :   . . . . $
Visa __ Master Card __ No :   . . . .   Exp.: . . . .
Merci !

Achevé d'imprimer en février 1996
sur les presses de l'Imprimerie du Golfe inc.
Rimouski (Québec)